中 文

（修订版）

第一册

中国暨南大学华文学院　编

暨南大学出版社

中国·广州

监　　制：　中华人民共和国国务院侨务办公室

监 制 人：　刘泽彭

顾　　问：　（按姓氏笔画排列）

　　　　　　杨启光　　陈光磊　　陈学超　　周小兵　　赵金铭

　　　　　　班　弨　　郭　熙

主　　编：　贾益民

编　　写：　（按姓氏笔画排列）

　　　　　　干红梅　　于　珊　　王　劫　　刘潇潇　　刘　慧

　　　　　　许迎春　　孙清忠　　李　艳　　吴玉峰　　吴晓明

　　　　　　何慧宜　　张凤芝　　张雪芹　　周　琴　　赵晓艳

　　　　　　胡建刚　　贾益民　　郭楚江　　谈颖瑜　　黄年丰

　　　　　　常芳清　　梁　静　　董　斌　　潘　莉　　戴　薇

英文翻译：　戴　薇

责任编辑：　李　战　　沈凤玲　　黄圣英　　陈鸿瑶　　黄　倩

　　　　　　吕肖剑　　杜小陆

责任校对：　陈　涛　　侯丽庆　　梁吉平　　黄海燕　　周玉宏

美术编辑：　李海燕

前　言

　　《中文》(试用版) 教材是1996年由中华人民共和国国务院侨务办公室委托暨南大学华文学院为海外华侨、华人子弟学习中文而编写的。全套教材共48册，其中《中文》主课本12册，家庭练习册24册（分为A、B册），教师教学参考书12册。2000—2003年，我们又接受国务院侨务办公室委托，先后研制了与本教材配套的多媒体教学光盘《中文》及网络版教材《网上学中文》(见中国侨网：http：//www.chinaqw.com，暨南大学华文学院网站：http：//hwy.jnu.edu.cn)，同时又将《中文》改编为繁体字版教材，一并发行使用，深受海外华文教师、学生及其家长的欢迎和好评。

　　这次《中文》教材的修订是中华人民共和国国务院侨务办公室委托暨南大学华文学院在《中文》教材试用版的基础上，总结自1997年以来的试用情况，结合海外华文教育的实际需要和特点，广泛听取各方面意见和建议，以教材研究为依据进行的。修订版《中文》教材全套共52册，除原有的48册外，另增编了配套的《学拼音》课本1册、《学拼音练习册》2册及《学拼音教学参考》1册。

　　本教材的教学目的是使学生经过全套《中文》教材的学习与训练，具备汉语普通话听、说、读、写的基本能力，了解中华文化常识，为进一步学习中国语言文化打下良好的基础。

　　在修订编写过程中，我们根据海外华文教育的目标要求，从教学对象的年龄、生活环境和心理特点出发，以中国国家对外汉语教学领导小组办公室汉语水平考试部编制的《汉语水平等级标准与语法等级大纲》(1996)、中国国家汉语水平考试委员会办公室考试中心制定的《汉语水平词汇与汉字等级大纲》(2001) 和中国国家语委、国家教委公布的《现代汉语常用字表》(1988) 等为依据或参考，科学地安排教材的字、词、句、篇章等内容，由浅入深、循序渐进地设置家庭练习，以期教学相长、学以致用，培养学生的学习兴趣，启发学生积极思考，提高学生运用中文的能力。同时，我们对海外现有中文教材进行了深入的分析研究，参考和借鉴了许多有益的经验，力求使教材达到教与练、学与用的统一，并在教材内容与体例、图文编排、题型设计以及教学理念的体现等方面有所创新。

　　现将修订中的有关问题说明如下：

　　一、根据海外中文（华文）学校的教学安排，修订后的《中文》教材每册由原来的14课调整为12课，并适当降低了课文难度。每3课为1个单元，每册共有4个单元。每个单元附有综合练习，每册增加了总练习。每册教材均附录音序生词表，生词右下角标注课文序号。

　　二、修订版教材第1册第1～6课为识字课，主课文后只列生字，不列词语和句子；自第7课开始，主课文后列词语和句子，但只列双音节或多音节词语，单音节词不列入；部分主课文后还列有"专有名词"，如人名、地名、国名等。

三、为了方便教学，修订版《中文》教材另配有《学拼音》及配套练习册，故1～12册主教材不含现代汉语拼音教学内容，但自第5册开始，适当增加了部分拼音练习。

四、修订版《中文》第1～4册的主课文、阅读课文均加注现代汉语拼音，从第5册开始，只为生字注音。注音时除主课文后的"词语"和"专有名词"按词注音外，其余部分均按字注音，一般标本调，但几类轻声不标声调。一般轻读、间或重读的字，注音上标调号。

此外，"一"、"不"在课文中按实际读音标注声调。

五、儿化的处理。凡书面上可以不儿化的，不作儿化处理，但有拼音时则加注儿化音；非儿化不可的，则将"儿"字放在词后，如"这儿"、"一会儿"等。

六、为了方便学生学习，修订版《中文》教材（1～6册）及练习册的课文题目、练习题目等配有英文翻译或解释。"专有名词"中加注了英文名称。

七、新出现的笔画或部首均在课文生字栏下列出，但识字课只列笔画，不列部首。1～4册课堂练习中的"描一描，写一写"，凡生字均按笔顺逐一列出笔画，并将笔画书写方向用红色箭头标出。从第5册开始，课堂练习的生字不再按笔顺列出笔画。笔顺规范依据中国国家语委、新闻出版总署颁布的《现代汉语通用字笔顺规范》(1997)。

八、为方便阅读课文的教学和自学，修订版《中文》教材在阅读课文后增加了"生字""词语"，部分列有"专有名词"，并相应地在《中文教学参考》中增加了阅读课文的教学参考内容。

九、为了适应部分学生认读繁体字的需要，修订版教材在主课本之后附有"简繁对照"的音序生字表，并在生字右下角标出课文序号。自第2册开始，各册均收录前面各册教材的音序生字表，以方便查阅。本教材所列繁体字依据中国国家语委颁布的《简化字总表》(1986)，该表附录中所列异体字已停止使用，故本教材不再作为繁体字或异体字收录。繁体字字形均采用新字形。《中文教学参考》中也相应地增加了繁体字的教学参考内容。

十、为培养学生的汉语交际能力，修订版《中文》教材在原有的基础上进一步加强了汉语交际功能训练。

本教材的修订再版得到了国内外一些知名的语言学专家、汉语教学专家和在海外从事中文教学与研究的学者的热情指导，对此我们表示诚挚的谢意。

由于修订时间仓促，本教材仍会存在某些疏漏之处，祈盼各位专家、学者及广大教师不吝赐教。

编　者

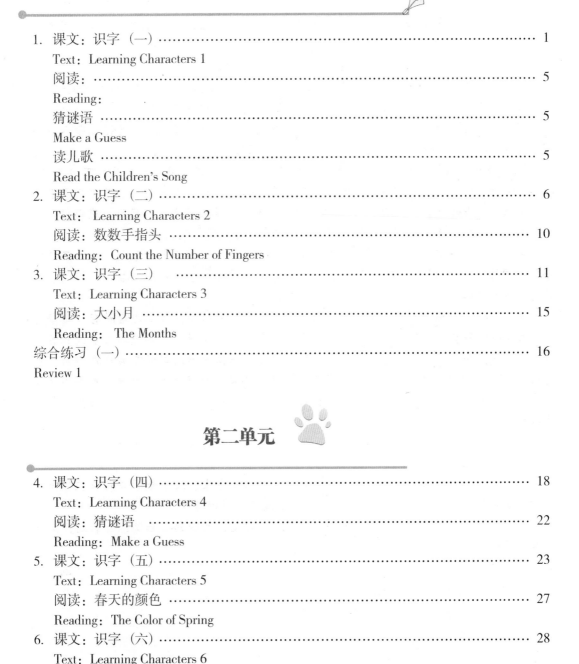

目录 Contents

第一单元

第二单元

目录 Contents

Contents

目录

中文

1

shí zì　　yī
识字（一）
Learning Characters 1

èr
二

sān
三

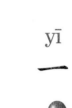

yī
一

wǔ
五
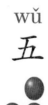

sì
四

liù
六

qī

七

bā

八

jiǔ

九

shí

十

bǎi

百

yī	èr	sān	sì	wǔ	liù	qī	bā
一	二	三	四	五	六	七	八

jiǔ	shí	bǎi
九	十	百

1 描一描，写一写 (Learn to write.)
miáo yi miáo　xiě yi xiě

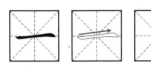

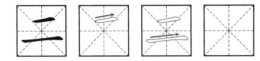

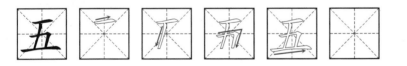

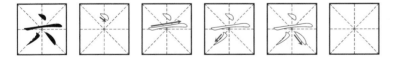

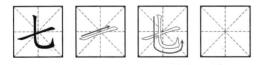

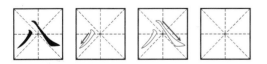

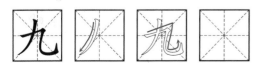

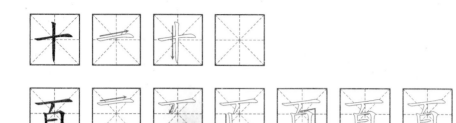

2 照 例子数一数，说一说，写一写 (Count, speak and write after the model.)

lì
例：

3 照 例子读一读，连一连 (Read and link after the model.)

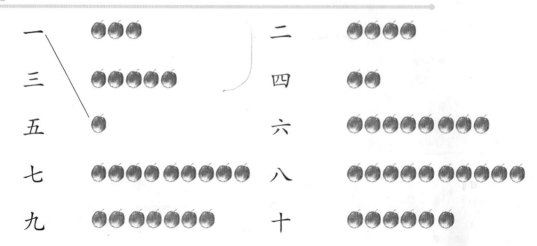

cāi mí yǔ
猜谜语
Make a Guess

yí piàn yí piàn yòu yí piàn
一片 一片 又 一片，

liǎng piàn sān piàn sì wǔ piàn
两片 三片 四 五片，

liù piàn qī piàn bā jiǔ piàn
六片 七片 八 九片，

luò rù shuǐ zhōng kàn bú jiàn
落入 水 中 看 不 见。

dú ér gē
读儿歌
Read the Children's Song

yī èr sān sì wǔ   liù qī bā jiǔ shí
一 二 三 四 五，六 七 八 九 十。

yī èr sān sì wǔ   liù qī bā jiǔ shí
一 二 三 四 五，六 七 八 九 十。

lǎo shī hǎo   tóng xué men hǎo
老师 好，同 学 们 好。

nǐ hǎo   nǐ hǎo   zài jiàn zài jiàn
你 好，你 好；再见，再见。

shēng zì
生 字 (Characters)

yòu	liǎng	shuǐ	zhōng	bù	jiàn
又	两	水	中	不	见

2

shí zì èr
识字（二）
Learning Characters 2

rén
人

tóu
头

mù yǎn jīng
目（眼睛）

kǒu zuǐ ba
口（嘴巴）

ěr ěr duo
耳（耳朵）

shǒu
手

zú   jiǎo
足 (脚)
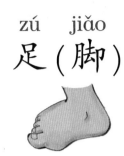

dà
大

xiǎo
小

duō
多

shǎo
少

sheng zì
生 字 (Characters)

rén	tóu	mù	kǒu	ěr	shǒu	zú
人	头	目	口	耳	手	足

dà	xiǎo	duō	shǎo
大	小	多	少

亅 乛

kè táng liàn xí
课 堂 练 习
Exercises in Class

miáo yi miáo　　xiě yi xiě
1 描一描，写一写 (Learn to write.)

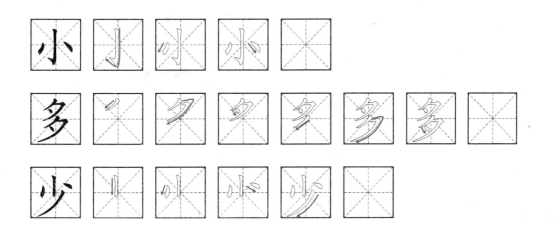

2 dú yi dú 读一读 (Read aloud.)

一人　五口人

人人　人头

小手　大人　大小

多少　人多　人少

3 tīng yi tīng zhǐ yi zhǐ 听一听，指一指 (Listen and point.)

（老师说五官的名称，学生指自己的五官，看谁指得快，指得准。）(Students should point out their facial features when the teacher says the names of the five sense organs.)

shǔ shǔ shǒu zhǐ tou
数 数 手 指 头
Count the Number of Fingers

wǒ yǒu yì shuāng xiǎo xiǎo shǒu
我 有 一 双 小 小 手 ，

yì zhī zuǒ lái yì zhī yòu
一 只 左 来 一 只 右 。

xiǎo xiǎo shǒu xiǎo xiǎo shǒu
小 小 手 ， 小 小 手 ，

sì wǔ liù qī bā jiǔ
四 五 六 ， 七 八 九 ，

yí gòng shí ge shǒu zhǐ tou
一 共 十 个 手 指 头 。

shēng zì
生 字 (Characters)

wǒ yǒu zuǒ lái yòu gè
我 有 左 来 右 个

3

识字（三）

Learning Characters 3

rì　　tài yáng

日（太 阳）

yuè　yuè liang

月（月 亮）

shān

山

shí

石

tián

田

shuǐ

水

huǒ

火

tǔ

土

mù

木

hé

禾

shēng zì
生 字 （Characters）

rì	yuè	shān	shí	tián	tǔ	shuǐ
日	月	山	石	田	土	水

huǒ	mù	hé
火	木	禾

ㄱ ㄴ ㄱ

1 miáo yi miáo xiě yi xiě

描一描，写一写 (Learn to write.)

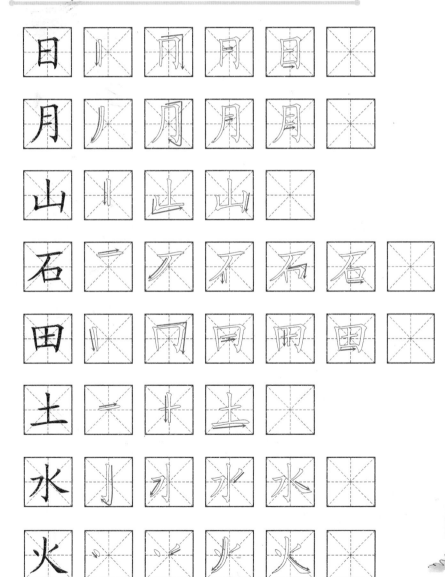

2 dú yi dú 读一读 (Read aloud.)

日月　一月　二月　三月　四月　五月　六月
七月　八月　九月　十月　十一月　十二月二十四日
石山　大山　土山　火山　山水　水田　石头
小石头　木头

3 kàn tú dú yi dú 看图读一读 (Look and read.)

木头

石头

大火

小火

小山

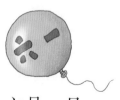

六月一日

dà xiǎo yuè
大 小 月
The Months

yī yuè dà	èr yuè xiǎo
一 月 大	二 月 小
sān yuè dà	sì yuè xiǎo
三 月 大	四 月 小
wǔ yuè dà	liù yuè xiǎo
五 月 大	六 月 小
qī yuè dà	bā yuè dà
七 月 大	八 月 大
jiǔ yuè xiǎo	shí yuè dà
九 月 小	十 月 大
shí yī yuè xiǎo	shí èr yuè dà
十 一 月 小	十 二 月 大

zōng hé liàn xí　　yī
综 合 练 习 （一）
Review 1

zhào lì zi bǎ bǐ huà shù xiāng tóng de zì xiě zài yì qǐ
1. 照 例 子 把 笔 画 数 相 同 的 字 写 在 一 起 (Put the characters with the same number of strokes together after the model.)

多　　月　　木　　小　　土　　石

三画：三 _____

四画：手 _____

五画：四 _____

六画：耳 _____

dú yi dú
2. 读 一 读 (Read aloud.)

山头　　　　　　　七人

大火　　　　　　　多少

bǐ yi bǐ 　 dú yi dú
3. 比 一 比 ， 读 一 读 (Compare and read.)

四　十四　　　　　　小　小手

田　水田　　　　　　少　多少

中文 1　　16

目　耳目

日　日月

月　一月

人　人口

大　大水

火　火山

4. 照例子看图写字　(Write one character for each picture after the model.)

lì
例：

日

（1）　　　　　　（2）　　　　　　（3）

5. 照例子算一算, 写一写　(Count and write after the model.)

lì
例：

＝ 六

＝ ＿＿

＋ ＝ ＿＿

－ ＝ ＿＿

－ ＝ ＿＿

－ ＝ ＿＿

17　中文 1

4

shí zì sì
识字（四）
Learning Characters 4

shàng
上

xià
下

zhōng
中

yòu
右

zuǒ
左

lái
来

qù
去

chū
出

rù
入

lì
立

zuò
坐

zǒu
走

shēng zì
生 字 (Characters)

shàng	zhōng	xià	zuǒ	yòu	lái
上	中	下	左	右	来
qù	chū	rù	zuò	lì	zǒu
去	出	入	坐	立	走

ㄥ

1 miáo yi miáo　xiě yi xiě
描一描，写一写 (Learn to write.)

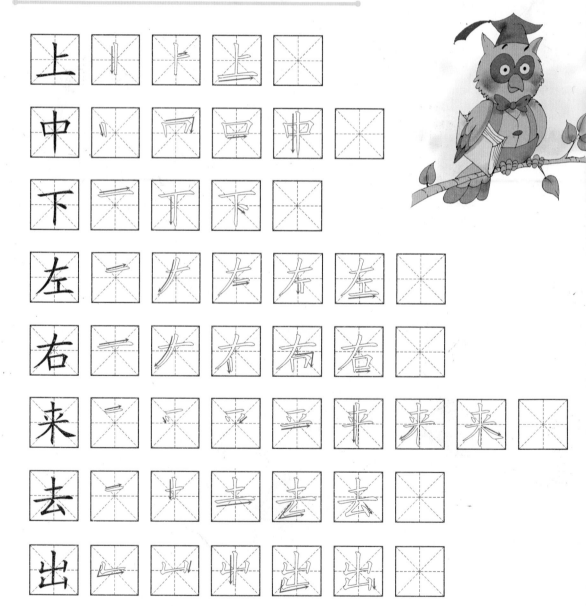

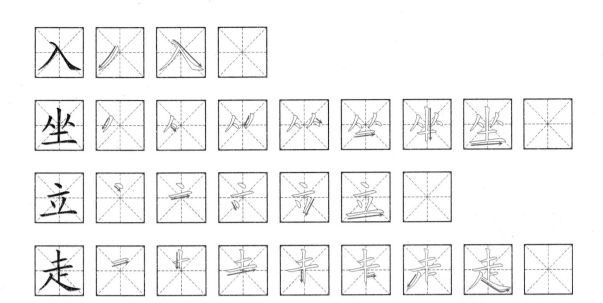

2

dú yi dú
读 一 读 (Read aloud.)

山上　山下　上头　下头　手中　口中
左手　右手　左耳　右耳
上下　上上下下　一上一下　一左一右
坐下　走来　走去　走出去

3
dú yi dú　lián yi lián
读一读，连一连 (Read and link after the model.)

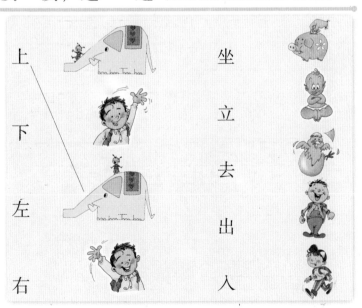

上

下

左

右

坐

立

去

出

入

cāi mí yǔ
猜 谜 语
Make a Guess

yī
(一)

zuǒ yí piàn　　yòu yí piàn
左 一 片 ， 右 一 片 ，
gé zhe shān tóu kàn bú jiàn
隔 着 山 头 看 不 见 。

èr
(二)

zuǐ ba jiān　　shēn zi cháng
嘴 巴 尖 ， 身 子 长 ，
xiě zì shí　　tā zuì máng
写 字 时 ， 它 最 忙 。

shēng zì
生 字 (Characters)

cháng	xiě	zì	tā	zuì	máng
长	写	字	它	最	忙

cí yǔ
词 语 (Words and expressions)

zuǐba　　shēnzi　　xiězì
嘴巴　　身子　　写字

5

shí zì　　wǔ
识字（五）
Learning Characters 5

fēng
风

yǔ
雨

xuě
雪

yún
云

diàn
电

tiān
天

chūn

春

xià

夏

dì

地

qiū

秋

dōng

冬

fēng	yún	yǔ	xuě	diàn	tiān
风	云	雨	雪	电	天

dì	chūn	xià	qiū	dōng
地	春	夏	秋	冬

kè táng liàn xí
课堂 练习
Exercises in Class

miáo yi miáo　xiě yi xiě
1 描一描，写一写 (Learn to write.)

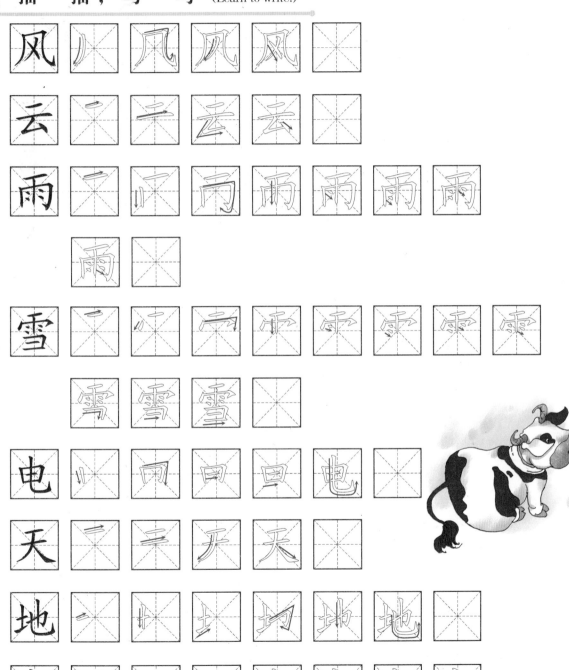

风

云

雨

雪

电

天

地

春

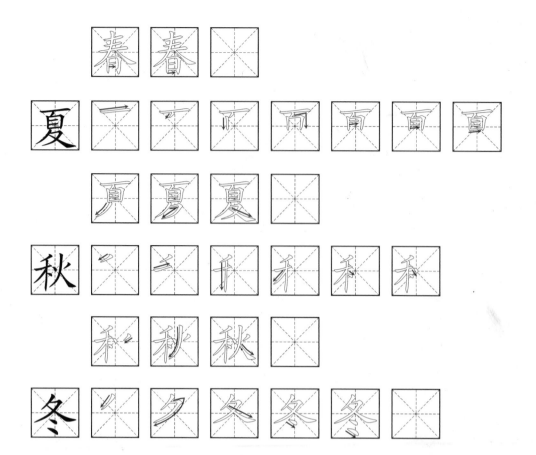

2 读一读 （Read aloud.）

大风　风雨　风雪　春风　秋风

下雨　大雨　小雨　下雪　大雪　小雪

水电　天地　大地　地上　地下　土地

天上　下雨天　下雪天　天天

春夏秋冬　春天　夏天　秋天　冬天　冬去春来　春风　春雨

kàn tú shuō yi shuō
3 看图说一说 （Answer the question according to the pictures.）

天上有什么？

chūn tiān de yán sè
春天的颜色
The Color of Spring

xiǎo cǎo shuō　　chūn tiān shì lǜ sè de
小草说，春天是绿色的。
huā ér shuō　　chūn tiān shì hóng sè de
花儿说，春天是红色的。
huáng yīng shuō　　chūn tiān shì huáng sè de
黄莺说，春天是黄色的。
mā ma shuō　　chūn tiān shì wǔ yán liù sè de
妈妈说，春天是五颜六色的。

shēng zì
生字 (Characters)

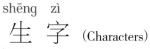

de　shuō　shì　sè　huā　mā
的　说　是　色　花　妈

cí yǔ
词语 (Words and expressions)

chūntiān　yánsè　māma　wǔyánliùsè
春天　颜色　妈妈　五颜六色

6

shí zì   liù
识字（六）
Learning Characters 6

mǎ
马

niú
牛

yáng
羊

yú
鱼

chóng
虫

niǎo
鸟

cǎo
草

huáng
黄

hēi
黑

lǜ
绿

bái
白

hóng
红

lán
蓝

shēng zì
生 字 (Characters)

mǎ	niú	yáng	yú	chóng	niǎo	cǎo	huáng
马	牛	羊	鱼	虫	鸟	草	黄

bái	hēi	lǜ	hóng	lán
白	黑	绿	红	蓝

勺

miáo yi miáo　xiě yi xiě
1 描一描，写一写 (Learn to write.)

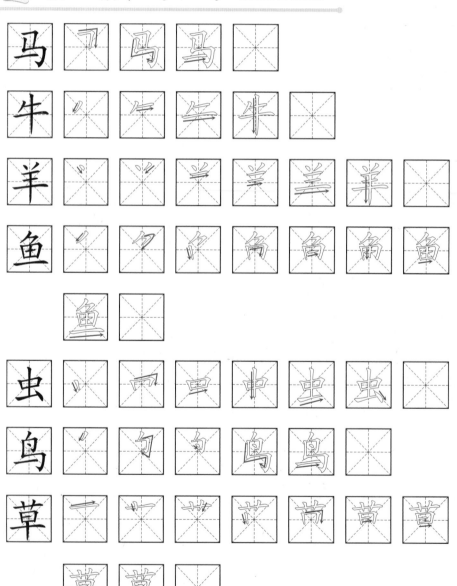

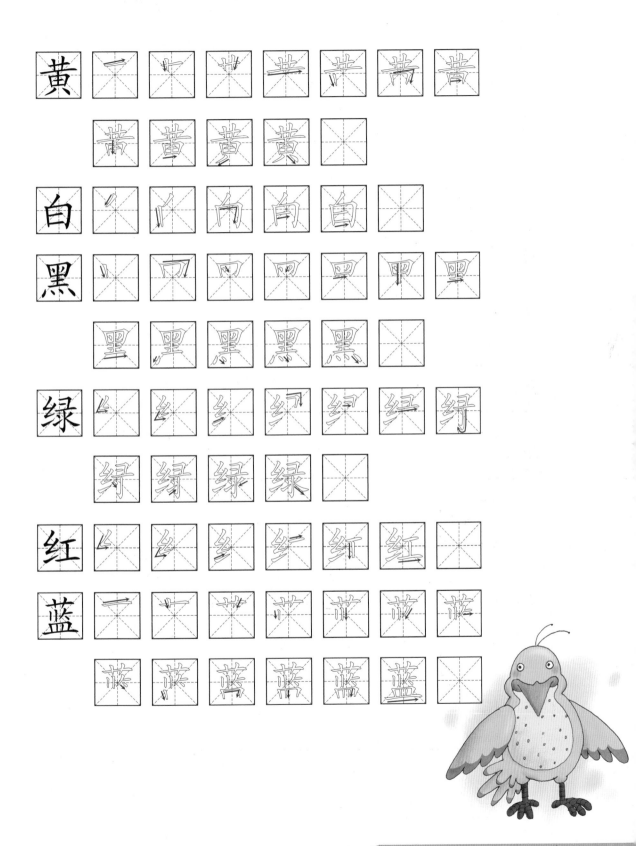

中文 1

dú yi dú

2 读一读 (Read aloud.)

小马　　木马　　小羊　　小山羊　　牛羊　　小牛　　一头牛

小鱼　　大鱼　　小虫　　小鸟

小草　　绿草　　草地

黄牛　　白云　　白马　　白羊　　黑天　　红日　　蓝天

kàn tú shuō yi shuō

3 看图说一说 (Answer the question according to the picture.)

山上有什么？

xiǎo niǎo zì yóu de fēi
小鸟自由地飞
Birds Fly Freely

cǎo li yǒu xiǎo chóng
草 里 有 小 虫，
xiǎo chóng màn màn de pá
小 虫 慢 慢 地 爬。
shuǐ li yǒu xiǎo yú
水 里 有 小 鱼，
xiǎo yú huān kuài de yóu
小 鱼 欢 快 地 游。
lín zhōng yǒu xiǎo niǎo
林 中 有 小 鸟，
xiǎo niǎo zì yóu de fēi
小 鸟 自 由 地 飞。

shēng zì
生 字 (Characters)

zì fēi lǐ pá yóu lín
自 飞 里 爬 游 林

cí yǔ
词 语 (Words and expressions)

zìyóu huānkuài
自由 欢快

33 中文 1

zōng hé liàn xí　　èr

综 合 练 习 （二）

Review 2

zhào lì zi bǎ bǐ huà shù xiāng tóng de zì xiě zài yì qǐ

1. 照 例 子 把 笔 画 数 相 同 的 字 写 在 一 起 (Put the characters with the same number of strokes together after the model.)

地　风　电　中　鸟　红　秋　黄

四画：天 _____

五画：出 _____

六画：虫 _____

九画：春 _____

十一画：绿 _____

dú yi dú

2. 读一读 (Read aloud.)

出入　　　　雪地　　　　　绿草

风雨　　　　虫鱼

走来走去　　春夏秋冬　　　蓝天白云

zhǎo chū dài bǐ huà   de zì   bǎ tā xiě zài   li
3.找出带笔画 "㇆" 的字，把它写在( )里

(Fill in the blanks with characters which contain the radical "㇆".)

雨　　云　　马　　羊　　鸟　　虫

(　) (　)

kàn tú xiě zì
4.看图写字 (Write one character for each picture.)

(1)

＿＿＿＿＿　＿＿＿＿＿　＿＿＿＿＿　＿＿＿＿＿

(2)

＿＿＿＿＿　＿＿＿＿＿　＿＿＿＿＿　＿＿＿＿＿

(3)

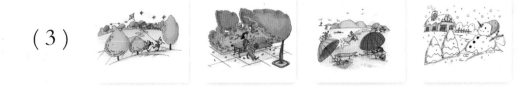

＿＿＿＿＿　＿＿＿＿＿　＿＿＿＿＿　＿＿＿＿＿

7

xiǎo xué shēng
小 学 生
Pupils

wǒ shì xiǎo xué shēng
我 是 小 学 生 。
wǒ ài lǎo shī
我 爱 老 师 。
wǒ ài tóng xué
我 爱 同 学 。
wǒ ài zhōng wén xué xiào
我 爱 中 文 学 校 。

生字 shēng zì (Characters)

xué	shēng	wǒ	shì	ài	lǎo
学	生	我	是	爱	老

shī	tóng	wén	xiào
师	同	文	校

子 —— 学	日 —— 是	爫 —— 爱
巾 —— 师	门 —— 同	木 —— 校

词语 cí yǔ (Words and expressions)

xuésheng	lǎoshī	tóngxué	zhōngwén	xuéxiào
学生	老师	同学	中文	学校

句子 jù zi (Sentence)

wǒ shì xiǎo xué shēng
我是小学生。

 1 miáo yi miáo　xiě yi xiě
描一描，写一写 (Learn to write.)

学

生

我

是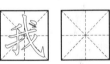

爱

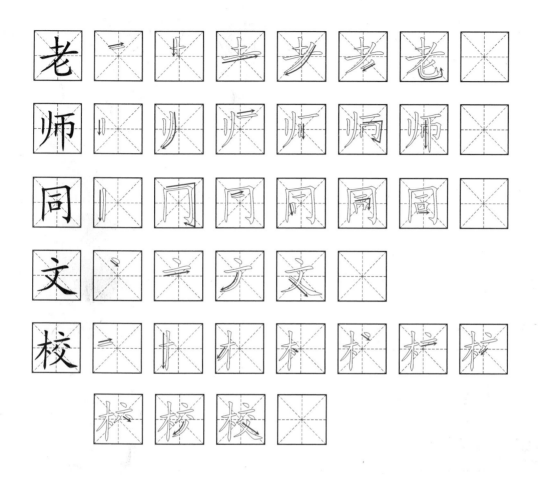

dú yi dú

2 读 一 读 (Read aloud.)

学生　小学生　上学　学校　学中文
老师　中文老师　老人　老牛　老马
同学　同一天

3 kuò zhǎn yǔ tì huàn 扩展与替换 (Expand and substitute.)

是
是学生
是小学生
我是小学生。

爱
爱中文学校
我爱中文学校。

我是<u>小学生</u>。

马小云
老师

4 duì huà 对话 (Dialogue)

云云：老师好！ (hǎo)

老师：你好！你是马小云吗？ (nǐ hǎo nǐ ma)

云云：是，我是马小云。

老师：你去学校吗？ (nǐ ma)

云云：是。我去中文学校。我爱学校。

老师：云云是好学生。老师爱云云。 (hǎo)

zhōng wén xué xiào shì wǒ jiā
中 文 学 校 是 我 家
Chinese School Is My Home

zhōng wén xué xiào shì wǒ jiā
中 文 学 校 是 我 家，

lǎo shī ài wǒ wǒ ài tā tā
老 师 爱 我 我 爱 她（他），

nǐ de jiā wǒ de jiā
你 的 家 ， 我 的 家 ，

lǎo shī jiù xiàng hǎo mā ma bà ba
老 师 就 像 好 妈 妈（爸 爸）。

shēng zì
生 字 （Characters）

jiā	tā	nǐ	jiù	xiàng	hǎo
家	她	你	就	像	好

8

wǒ qù xué xiào
我 去 学 校
I Am Going to School

kāi xué le　　zhēn gāo xìng
开学了，真高兴，
wǒ zuò xiào chē qù xué xiào
我 坐 校 车 去 学 校。
jiàn le lǎo shī shuō　　lǎo shī zǎo
见 了 老 师 说："老 师 早！"
jiàn le tóng xué shuō　　nǐ men hǎo
见 了 同 学 说："你 们 好！"

<ruby>生<rt>shēng</rt></ruby> <ruby>字<rt>zì</rt></ruby> (Characters)

kāi	le	zhēn	gāo	xìng	chē	jiàn	shuō
开	了	真	高	兴	车	见	说

zǎo	nǐ	men	hǎo
早	你	们	好

乀 乁

讠 —— 说   亻 —— 你   女 —— 好

<ruby>词<rt>cí</rt></ruby> <ruby>语<rt>yǔ</rt></ruby> (Words and expressions)

kāixué	gāoxìng	xiàochē	nǐmen
开学	高兴	校车	你们

<ruby>句<rt>jù</rt></ruby> <ruby>子<rt>zi</rt></ruby> (Sentence)

wǒ qù xué xiào
我 去 学 校 。

miáo yi miáo　　xiě yi xiě
1　描一描，写一写 (Learn to write.)

开

了

真

高

兴

车

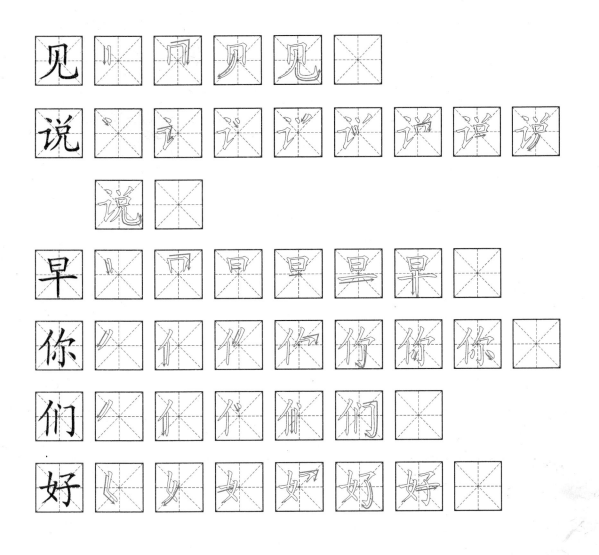

dú yi dú

2 读一读 （Read aloud.）

开学　开车　上车　下车　大车　小车

校车　火车　电车　马车　坐车

早上　早上好　你们　我们　同学们

老师们　好人　好车　你好　真好

高兴　真高兴　高高兴兴

kuò zhǎn yǔ   tì huàn
3 扩展与替换 (Expand and substitute.)

去
去学校
我去学校。

说
说中文
我们说中文。

我 去 学校。

云云	坐	车
同学们	学	中文
我们	爱	老师

duì huà
4 对话 (Dialogue)

云云：冬冬，你好！

冬冬：你好！

云云：你去坐校车吗？

冬冬：是，我坐校车去学校。

（云云、冬冬到了学校，见到老师）

云云、冬冬：老师好！

老师：同学们好！见到你们真高兴。

qù xué xiào
去学校

Go to School

tài yáng dāng kōng zhào
太阳当空照，
huā ér duì wǒ xiào
花儿对我笑。
xiǎo niǎo shuō   zǎo   zǎo   zǎo
小鸟说："早、早、早，
nǐ wèi shén me bēi zhe xiǎo shū bāo
你为什么背着小书包？"
wǒ duì xiǎo niǎo shuō   wǒ yào qù xué xiào
我对小鸟说："我要去学校。"

shēng zì
生字 (Characters)

tài	yáng	duì
太	阳	对

shū	bāo	yào
书	包	要

cí yǔ
词语 (Words and expressions)

tàiyáng   wèishénme   shūbāo
太阳   为什么   书包

_{wǒ de jiā}
我 的 家
My Family

_{zhè shì wǒ de jiā} _{wǒ jiā yǒu wǔ kǒu rén} _{yé ye} _{nǎi}
这 是 我 的 家 。 我 家 有 五 口 人 , 爷 爷 、 奶

_{nai} _{bà ba} _{mā ma hé wǒ} _{wǒ ài wǒ de jiā}
奶 、 爸 爸 、 妈 妈 和 我 。 我 爱 我 的 家 。

生字 (Characters)
shēng zì

的 家 这 有 爷 奶 爸
de jiā zhè yǒu yé nǎi bà

妈 和
mā hé

丿 乛

白 —— 的	宀 —— 家	辶 —— 这
父 —— 爸	禾 —— 和	

词 语 (Words and expressions)
cí yǔ

爷爷　奶奶　爸爸　妈妈
yéye　nǎinai　bàba　māma

句 子 (Sentence)
jù zi

这是我的家。
zhè shì wǒ de jiā

miáo yi miáo   xiě yi xiě
1 描一描，写一写 (Learn to write.)

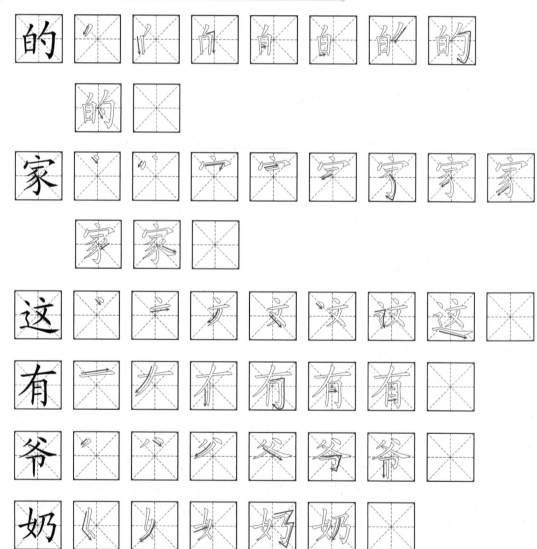

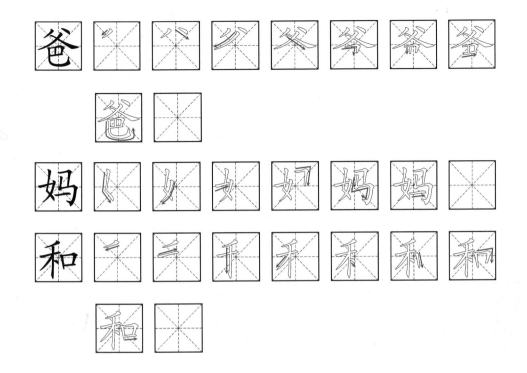

2 读一读 (Read aloud.)
dú yi dú

我的手　爸爸的车　我的老师　我的家
爷爷和奶奶　爸爸和妈妈　老师和学生
我们和你们

3 扩展与替换 (Expand and substitute.)
kuò zhǎn yǔ tì huàn

爱
爱我的家
我爱我的家。

是
是我的家
这是我的家。

这是我的家。

爸爸
爷爷
云云的家
学校

我爱我的家。

我　　　小鸟
我　　　老师
妈妈　　我

duì huà
4 对话 (Dialogue)

fāng fang
方方：这是你的家吗？

duì
云云：对。

fāng fang
方方：这是你爸爸妈妈？

云云：是的，这是我的好爸爸、好妈妈。

fāng fang　　　jǐ
方方：你家有几口人？

云云：五口人。

fāng fang
方方：五口人吗？

云云：是的，我家有爷爷、奶奶、爸爸、
　　　妈妈和我。

fāng fang
方方：你家真好！

云云：是的，我爱我的家。

fàng xué gē
放 学 歌
After School

fàng xué le　　huí dào jiā
放 学 了 ， 回 到 家 ，
wǒ gěi dà jiā chàng zhī gē
我 给 大 家 唱 支 歌 。
chàng wán le　　　jū ge gōng
唱 完 了 ， 鞠 个 躬 ，
yé ye nǎi nai xiào hā hā
爷 爷 奶 奶 笑 哈 哈 ，
bà ba mā ma bǎ wǒ kuā
爸 爸 妈 妈 把 我 夸 。

shēng zì
生 字 （Characters）

fàng	huí	dào	gěi	wán	bǎ
放	回	到	给	完	把

cí yǔ
词 语 （Words and expressions）

fàngxué	huíjiā	dàjiā	chànggē
放学	回家	大家	唱歌

zōng hé liàn xí　sān
综合练习 （三）
Review 3

zhào lì zi bǎ bǐ huà shù xiāng tóng de zì xiě zài yì qǐ
1. 照例子把笔画数 相 同的字写在一起 (Put the characters with the same number of strokes together after the model.)

同　说　早　这　的　园　看

六画：耳 _____

七画： _____

八画： _____

九画：秋 _____

dú yi dú
2. 读一读 (Read aloud.)

老师　　学校

开车　　高兴

中文　　你们

bǐ yi bǐ　　zài zǔ cí yǔ
3. 比一比，再组词语 (Compare and form phrases.)

妈 _____　　右 _____　　后 _____

奶 _____　　左 _____　　石 _____

好

zhào lì zi kàn tú xuǎn zé zhèng què de jù zi dú yi dú

4. 照例子看图选择正确的句子，读一读 (Choose

right sentences for pictures and read them out after the model.)

lì
例：

我是老师。 （√）
我是学生。 （ ）

(1)

(2)

我是小学生。 （ ）　　山上有黑马。 （ ）
我是老师。 　（ ）　　山下有白马。 （ ）

(3)

(4)

爸爸开车。 （ ）　　天上有小鸟。 （ ）
爸爸坐车。 （ ）　　天上有小羊。 （ ）

zhào lì zi lián cí chéng jù
5. 照例子连词成句 (Put the given words in the correct order to make sentences after the model.)

lì
例：老师　是　我

　　我是老师。

(1) 小　我　学生　是

_____

(2) 爸爸　高兴　真

_____

(3) 是　这　的　妈妈　车

_____

10

huā yuán
花 园
The Garden

wǒ jiā dà mén qián
我 家 大 门 前 ，

yǒu ge xiǎo huā yuán
有 个 小 花 园 。

tā jiā hòu mén wài
他 家 后 门 外 ，

yǒu ge dà huā yuán
有 个 大 花 园 。

yì nián sì jì huā ér kāi
一 年 四 季 花 儿 开 ，

huā ér kāi le duō hǎo kàn
花 儿 开 了 多 好 看 ！

huā	yuán	mén	qián	gè	tā	hòu	wài
花	园	门	前	个	他	后	外

nián	jì	ér	kàn
年	季	儿	看

艹——花　　口——园　　丷——前

人——个　　卜——外　　目——看

cí yǔ
词 语 (Words and expressions)

huāyuán	dàmén	hòumén	hǎokàn
花园	大门	后门	好看

jù zi
句 子 (Sentence)

wǒ jiā yǒu ge xiǎo huā yuán
我家有个小花园。

1 miáo yi miáo xiě yi xiě
描一描，写一写 (Learn to write.)

花
园
门
前
前
个
他
后
外

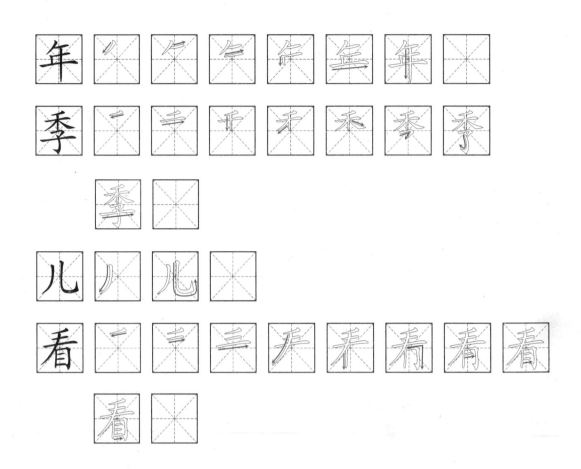

年	ノ	╱	⻃	牛	垂	年	
季	一	二	千	手	禾	季	季
季							
儿	ノ	儿					
看	一	二	三	手	看	看	看
看							

2 读一读 (Read aloud.)

大花　小花　开花　水花

大花园　小花园　一个花园

大门　小门　前门　后门　开门

前后　前头　后头

一个人

他的　他人　他的花园

后天　外地　门外

一年　年月　同年

春季　夏季　秋季　冬季

花儿　鸟儿　小草儿

好看　看一看

中文 1　　60

3 扩展与替换 (Expand and substitute.)

小花园
有个小花园
我家有个小花园。

高兴
多高兴
爸爸多高兴。

我家有花园。

天上	月亮
山上	牛羊
他家	草地
水中	鱼

duì huà

4 对话 (Dialogue)

fāng fang
方方：你看，这是我家的小花园。

冬冬：我看看。

fāng fang
方方：你看，绿绿的草，红红的花。

měi   yě
冬冬：真美！我家门前也有个小花园。

fāng fang
方方：真的？

lǐ   hái
冬冬：真的。花园里有花，有鸟，有水，水中还有小鱼。

fāng fang
方方：真好！

[handwritten annotations: 菊花 chrysanthemum / 兰花 orchid lɔ'kaidl / orchis lɔ'kaisl]

gōng yuán li
公园里
In the Park

gōng yuán li　　huā ér kāi
公园里，花儿开，
duǒ duǒ huā ér zhēn kě ài
朵朵花儿真可爱。
méi gui　　jú huā hé lán huā
玫瑰、菊花和兰花，
huā ér hǎo kàn rén rén ài
花儿好看人人爱。

shēng zì
生字 (Characters)

gōng	duǒ	kě	méi	jú	lán
公	朵	可	玫	菊	兰

cí yǔ
词语 (Words and expressions)

gōngyuán	kě'ài	méigui	júhuā	lánhuā
公园	可爱	玫瑰	菊花	兰花

11

rèn fāng xiàng
认 方 向
Directions

zǎo shang qǐ lai　　miàn xiàng tài yáng
早 上 起 来，面 向 太 阳。

qián mian shì dōng　　hòu mian shì xī
前 面 是 东，后 面 是 西。

zuǒ mian shì běi　　yòu mian shì nán
左 面 是 北，右 面 是 南。

dōng nán xī běi　　sì ge fāng xiàng
东 南 西 北，四 个 方 向。

生字 shēng zì (Characters)

rèn	fāng	xiàng	miàn	tài	yáng
认	方	向	面	太	阳

dōng	xī	běi	nán
东	西	北	南

了

大 —— 太   阝 —— 阳   十 —— 南

词 语 cí yǔ (Words and expressions)

fāngxiàng	zǎoshang	tàiyáng	qiánmian	hòumian	zuǒmian
方向	早上	太阳	前面	后面	左面

yòumian
右面

句 子 jù zi (Sentence)

qián mian shì dōng hòu mian shì xī
前面是东，后面是西。

 1 miáo yi miáo　xiě yi xiě
描一描，写一写 (Learn to write.)

西

北

南

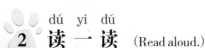

dú yì dú
2 读 一 读 （Read aloud.）

认一认　认地方　认方向

方向　四方　前方　后方　东方　西方　南方　东南方

北方　四面八方

向前　向后　向东　向南　向西　向北

东面　西面　南面　北面　前面　后面　上面　下面

太阳　太大　太小　太多　太少　太好了

东风　西风　南风　北风　东南风　西北风　东北风　西南风

风向

kuò zhǎn yǔ tì huàn
3 扩 展 与 替 换 （Expand and substitute.）

太阳
面向太阳
早上面向太阳。

山
是山
东面是山
学校东面是山。

学校东面是山。

云云后面	方方
学校的前面	花园
爷爷的左面	爸爸
奶奶的右面	妈妈

4 对话 (Dialogue)
duì huà

明明：我们来认方向。
míng ming

方方：好！

明明：你早上起来面向太阳，你前面是——？
míng ming　　qǐ

方方：前面是东。

明明：你后面是——？
míng ming

方方：是西。

明明：你左面是——？
míng ming

方方：是北。

明明：你右面是——？
míng ming

方方：是南。

明明：对了，东南西北四个方向要认清。
míng ming　duì　　　　　　　　　　yào　qīng

dà xiàng de péng you

大象的朋友

The Elephant's Friends

dà xiàng de qián mian shì lǎo hǔ
大象的前面是老虎，
dà xiàng de hòu mian shì xiǎo lù
大象的后面是小鹿，
dà xiàng de zuǒ mian shì xiǎo zhū
大象的左面是小猪，
dà xiàng de yòu mian shì xiǎo tù
大象的右面是小兔，
dà xiàng de tóu shang shì lǎo shǔ
大象的头上是老鼠，
hǔ lù zhū tù shǔ
虎鹿猪兔鼠，
tā men yì qǐ lái tiào wǔ
他们一起来跳舞。

shēng zì
生字 (Characters)

xiàng	péng	yǒu	zhū	qǐ
象	朋	友	猪	起

cí yǔ
词语 (Words and expressions)

dàxiàng	péngyou	lǎohǔ	tāmen	yìqǐ	tiàowǔ
大象	朋友	老虎	他们	一起	跳舞

12

xīn nián dào
新年到
Spring Festival Is Coming

xīn nián dào　　zhēn rè nao
新年到，真热闹，

chuān xīn yī　　dài xīn mào
穿新衣，戴新帽。

wǒ zhù dà jiā shēn tǐ hǎo
我祝大家身体好，

dà jiā zhù wǒ xué xí hǎo
大家祝我学习好。

shēng zì
生字 (Characters)

xīn	dào	rè	nào	chuān	yī	dài
新	到	热	闹	穿	衣	戴

mào	zhù	shēn	tǐ	xí
帽	祝	身	体	习

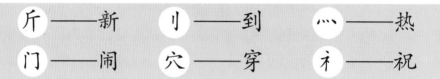

斤 —— 新	刂 —— 到	灬 —— 热
门 —— 闹	穴 —— 穿	礻 —— 祝

cí yǔ
词 语 (Words and expressions)

Lively bustling with noise

xīnnián	rènao	dàjiā	shēntǐ	xuéxí
新年	热闹	大家	身体	学习

jù zi
句 子 (Sentence)

xīn nián zhēn rè nao
新年真热闹。

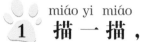

1 描一描，写一写 (Learn to write.)

miáo yi miáo　xiě yi xiě

新

到

热

闹

穿

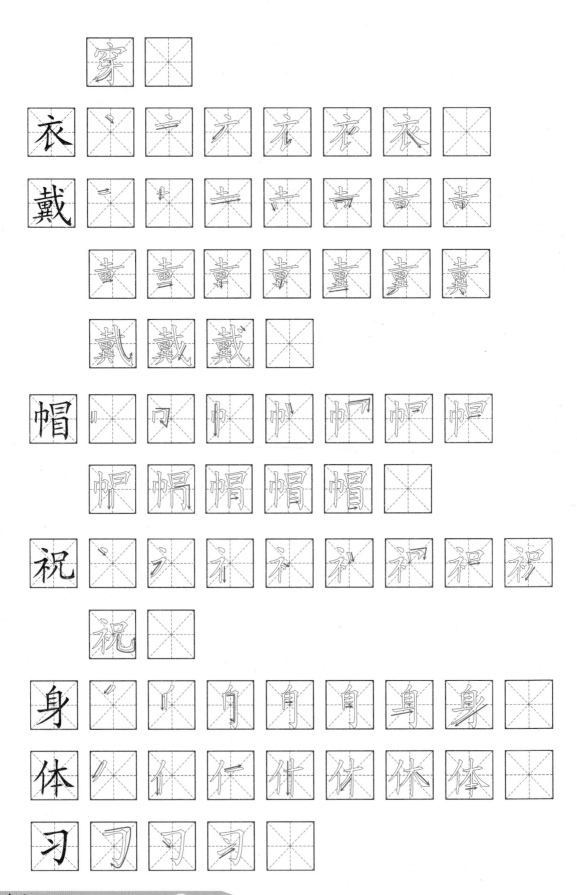

2 读一读 (Read aloud.)
dú yi dú

新生　新车　新春　新年　新老师　新同学　到家了
看到　见到　说到　来到　走到
大热天　热水　热闹
身体　身上　身体好　学习　学习好
穿上　穿衣　穿戴　草帽

到 to

① go to
② reach
③ compass
④ arrive
⑤ get to
⑥ leave for

3 扩展与替换 (Expand and substitute.)
kuò zhǎn yǔ tì huàn

到
到了
新年到了。

热闹
真热闹
新年真热闹。

新年到了。

校车
学校

新年真热闹。

花儿　　　好看
爸爸的车　好
花园　　　大

4　对话 (Dialogue)
duì huà

方方：爷爷奶奶，新年好！

爷爷奶奶：好，好。我们祝方方身体好！

方方：爸爸妈妈新年好！

爸爸妈妈：真乖，我们祝你学习好！
　　　　　guāi

爸爸妈妈：方方穿上新衣服，戴上新帽子，真好看！
　　　　　　　　　　　　　　fu

方方：爷爷奶奶、爸爸妈妈，外面真热闹，我们出去走走吧。
　　　　　　　　　　　　　　　　　　　　　　　　　ba

爷爷奶奶、爸爸妈妈：好！

guò xīn nián
过 新 年
Celebrate the Spring Festival

xīn nián dào　　xīn nián dào
新 年 到 ， 新 年 到 ，

jiā jiā guò nián zhēn rè nao
家 家 过 年 真 热 闹 。

tiē duì lián　　hè xīn nián
贴 对 联 ， 贺 新 年 ，

bāo jiǎo zi　　qìng tuán yuán
包 饺 子 ， 庆 团 圆 。

wǒ gěi dà jiā bài ge nián
我 给 大 家 拜 个 年 ，

xīn nián kuài lè yòu píng ān
新 年 快 乐 又 平 安 。

shēng zì
生 字 (Characters)

guò	tuán	kuài	lè	píng	ān
过	团	快	乐	平	安

cí yǔ
词 语 (Words and expressions)

duìlián	jiǎozi	tuányuán	kuàilè	píng'ān
对联	饺子	团圆	快乐	平安

zhào lì zi xiě hàn zì
1. 照例子写汉字 (Link and write after the model.)

日	火	（秋）
禾	十	（ ）
门	元	（ ）
口	市	（ ）
艹	日	（ ）
亻	斤	（ ）
阝	化	（ ）
亲	本	（ ）

dú yi dú
2. 读一读 (Read aloud.)

新年	身体	后面	
夏季	热闹	方向	
新衣	新春	东南西北	春夏秋冬

3. 比一比，读一读 (Compare and read.)

东　东面
冬　冬天

白　白雪
百　百花

人　一个人
认　认方向

西　西面
习　学习

门　门前
们　我们

大　大人
太　太阳

左　左手
右　右手

马　马车
妈　妈妈

4. 读一读 (Read aloud.)

热闹　　　　去
真热闹　　　去学校
新年真热闹。　我去中文学校。

有　　　　　向
有四季　　　向太阳
一年有四季。　花儿向太阳。

zhào lì   zi xiě yi xiě

5.照例子写一写 (Fill in the blanks after the model.)

lì
例：

我	是	小学生。
爸爸	是	老师。

(1)

我家	有	五口人。
	有	

(2)

我	去	中文学校。
	去	

(3)

大家	祝	我	学习好。
	祝		

6. 写贺卡 xiě hè kǎ (Make a card.)

请在下面的新年贺卡上 用汉语为爸爸妈妈
写几句祝福的话，不会写的字可以问问老师
或爸爸妈妈。

爸爸妈妈：

_____

_____

_____

_____

_____

_____

_____

爱你们的_____
___年___月___日

zǒng liàn xí
总 练 习
Exercises

zhào lì zi xiě hàn zì
1.照例子写汉字 (Combine these parts to make characters and fill in the blanks after the model.)

lì
例： 纟 + 工 → <u>红</u>

(1) 女 +子→ ____

   女 +马→ ____

(2) 亻 +门 → ____

(3) 门 +市 → ____

(4) 禾 +火→ ____

   禾 +子→ ____

(5) 土 +也→ ____

(6) 日 +十→ ____

shǔ bǐ huà   tián kòng
2.数笔画，填空 (Count the strokes and fill in the blanks.)

(1) "雪" 一共有 ____画，第三画是 ____。

(2) "真" 一共有 ____画，第八画是 ____。

(3) "家" 一共有 ____画，第六画是 ____。

(4) "热" 一共有 ____画，第五画是 ____。

zhào lì zi bǐ yi bǐ   zài zǔ cí yǔ
3.照例子比一比，再组词语 (Compare and form phrases after the model.)

lì
例 {
人　　人们
入　　出入
}

(1) {
小　＿＿＿
水　＿＿＿
}

(2) {
石　＿＿＿
右　＿＿＿
}

(3) {
云　＿＿＿
去　＿＿＿
}

(4) {
马　＿＿＿
鸟　＿＿＿
}

(5) {
草　＿＿＿
早　＿＿＿
}

(6) {
学　＿＿＿
家　＿＿＿
}

(7) {
大　＿＿＿
太　＿＿＿
}

(8) {
同　＿＿＿
向　＿＿＿
}

(9) {
夏　＿＿＿
身　＿＿＿
}

(10) {
奶　＿＿＿
好　＿＿＿
}

4.照例子看图写句子 (Make one sentence for each picture after the model.)

(1) 例:

我是小学生。

(2) 例:

这是中文学校。

(3) 例:

我去学校。

(4) 例:

这是我的家。

(5) 例:

我家有个小花园。

(6) 例:

新年真热闹。

zhào lì zi kàn tú xiě yi xiě　　dú yi dú

5.照例子看图写一写，读一读 (Complete the sentences for each picture and read them out after the model.)

lì
例：

新年到了，我祝 <u>爷爷奶奶身体好</u>。

(1)

到学校了，同学们见了老师说："＿＿＿＿＿＿。"

老师见了同学们说："＿＿＿＿＿＿。"

(2)

方方的前面是＿＿＿＿，后面是＿＿＿＿，

方方的左面是＿＿＿＿，右面是＿＿＿＿。

(3)

天上有太阳、_____、_____。

(4)

花园里有绿草、___花、___花和___花。

(5)

我家有____、____、____、____。

音序生字表 (简繁对照)

jiǎn fán duì zhào

Alphabetic Vocabulary

（Comparison between Simplified and Traditional Chinese Characters）

A　爱₇（愛）
　　ài

B　八₁　爸₉　白₆　百₁　北₁₁
　　bā　bà　bái　bǎi　běi

C　草₆　车₈（車）　虫₆（蟲）　出₄　穿₁₂　春₅
　　cǎo　chē　chóng　chū　chuān　chūn

D　大₂　戴₁₂　到₁₂　的₉　地₅　电₅（電）　东₁₁（東）　冬₅
　　dà　dài　dào　de　dì　diàn　dōng　dōng

　　多₂
　　duō

E　儿₁₀（兒）　耳₂　二₁
　　ér　ěr　èr

F　方₁₁　风₅（風）
　　fāng　fēng

G　高₈　个₁₀（個）
　　gāo　gè

H　好₈　禾₃　和₉　黑₆　红₆（紅）　后₁₀（後）　花₁₀
　　hǎo　hé　hé　hēi　hóng　hòu　huā

　　黄₆　火₃
　　huáng　huǒ

J　季₁₀　家₉　见₈（見）　九₁
　　jì　jiā　jiàn　jiǔ

K　开₈（開）　看₁₀　口₂
　　kāi　kàn　kǒu

L　lái 来$_4$（來）　lán 蓝$_6$（藍）　lǎo 老$_7$　le 了$_8$　lì 立$_4$　liù 六$_1$　lǜ 绿$_6$（綠）

M　mā 妈$_9$（媽）　mǎ 马$_6$（馬）　mào 帽$_{12}$　mén 门$_{10}$（門）　men 们$_8$（們）　miàn 面$_{11}$
　　mù 木$_3$　mù 目$_2$

N　nǎi 奶$_9$　nán 南$_{11}$　nào 闹$_{12}$（鬧）　nǐ 你$_8$　nián 年$_{10}$　niǎo 鸟$_6$（鳥）　niú 牛$_6$

Q　qī 七$_1$　qián 前$_{10}$　qiū 秋$_5$　qù 去$_4$

R　rè 热$_{12}$（熱）　rén 人$_2$　rèn 认$_{11}$（認）　rì 日$_3$　rù 入$_4$

S　sān 三$_1$　shān 山$_3$　shàng 上$_4$　shǎo 少$_2$　shēn 身$_{12}$　shēng 生$_7$　shī 师$_7$（師）　shí 十$_1$　shí 石$_3$
　　shì 是$_7$　shǒu 手$_2$　shuǐ 水$_3$　shuō 说$_8$（説）　sì 四$_1$

T　tā 他$_{10}$　tài 太$_{11}$　tǐ 体$_{12}$（體）　tiān 天$_5$　tián 田$_3$　tóng 同$_7$　tóu 头$_2$（頭）　tǔ 土$_3$

W　wài 外$_{10}$　wén 文$_7$　wǒ 我$_7$　wǔ 五$_1$

X　xī 西$_{11}$　xí 习$_{12}$（習）　xià 下$_4$　xià 夏$_5$　xiàng 向$_{11}$　xiǎo 小$_2$　xiào 校$_7$　xīn 新$_{12}$
　　xìng 兴$_8$（興）　xué 学$_7$（學）　xuě 雪$_5$

Y　yáng 羊$_6$　yáng 阳$_{11}$（陽）　yé 爷$_9$（爺）　yī 一$_1$　yī 衣$_{12}$　yǒu 有$_9$　yòu 右$_4$
　　yú 鱼$_6$（魚）　yǔ 雨$_5$　yuán 园$_{10}$（園）　yuè 月$_3$　yún 云$_5$（雲）

Z　zǎo 早$_8$　zhè 这$_9$（這）　zhēn 真$_8$　zhōng 中$_4$　zhù 祝$_{12}$　zǒu 走$_4$　zú 足$_2$　zuǒ 左$_4$　zuò 坐$_4$

ài
A 爱$_7$

bā   bàba   bái   bǎi   běi
B 八$_1$ 爸爸$_9$ 白$_6$ 百$_1$ 北$_{11}$

cǎo   chē   chóng   chū   chuān   chūn
C 草$_6$ 车$_8$ 虫$_6$ 出$_4$ 穿$_{12}$ 春$_5$

dà   dàjiā   dàmén   dài   dào   de   dì
D 大$_2$ 大家$_{12}$ 大门$_{10}$ 戴$_{12}$ 到$_{12}$ 的$_9$ 地$_5$

diàn   dōng   dōng   duō
电$_5$ 东$_{11}$ 冬$_5$ 多$_2$

ér   ěr   èr
E 儿$_{10}$ 耳$_2$ 二$_1$

fāngxiàng   fēng
F 方向$_{11}$ 风$_5$

gāoxìng   gè
G 高兴$_8$ 个$_{10}$

hǎo   hǎokàn   hé   hé   hēi   hóng   hòu
H 好$_8$ 好看$_{10}$ 禾$_3$ 和$_9$ 黑$_6$ 红$_6$ 后$_{10}$

hòumén   hòumian   huā   huāyuán   huáng   huǒ
后门$_{10}$ 后面$_{11}$ 花$_{10}$ 花园$_{10}$ 黄$_6$ 火$_3$

jì   jiā   jiàn   jiǔ
J 季$_{10}$ 家$_9$ 见$_8$ 九$_1$

kāixué   kàn   kǒu
K 开学$_8$ 看$_{10}$ 口$_2$

lái   lán   lǎoshī   le   liù   lǜ
L 来$_4$ 蓝$_6$ 老师$_7$ 了$_8$ 六$_1$ 绿$_6$

	māma	mǎ	mào	mén	men	mù	mù	
M	妈妈9	马6	帽12	门10	们8	木3	目2	
	nǎinai	nán	nào	nǐ	nǐmen	nián	niǎo	niú
N	奶奶9	南11	闹12	你8	你们8	年6	鸟6	牛5
	qī	qián	qiánmian	qiū	qù			
Q	七1	前10	前面11	秋5	去4			
	rènao	rén	rèn	rì	rù			
R	热闹12	人2	认11	日3	入4			
	sān	shān	shàng	shǎo	shēn	shēntǐ	shí	shí	shì
S	三1	山3	上4	少2	身12	身体12	十1	石3	是7
	shǒu	shuǐ	shuō	sì					
	手2	水3	说8	四1					
	tā	tàiyáng	tiān	tián	tóngxué	tóu	tǔ	
T	他10	太阳11	天5	田3	同学7	头2	土3	
	wǒ	wǔ						
W	我7	五1						
	xī	xià	xià	xiàng	xiǎo	xiào	xiàochē	xīn
X	西11	下4	夏5	向11	小2	校7	校车8	新12
	xīnnián	xué	xuésheng	xuéxí	xuéxiào	xuě		
	新年12	学7	学生7	学习12	学校7	雪5		
	yáng	yéye	yī	yī	yǒu	yòu	yòumian	yú
Y	羊6	爷爷9	一1	衣12	有9	右4	右面11	鱼6
	yǔ	yuán	yuè	yún				
	雨5	园10	月3	云5				
	zǎo	zǎoshang	zhè	zhēn	zhōng	zhōngwén	zhù	zǒu	zú
Z	早8	早上11	这9	真8	中4	中文7	祝12	走4	足2
	zuǒ	zuǒmian	zuò						
	左4	左面11	坐4						

7. 子——学　　日——是　　爫——爱

　　巾——师　　门——同　　木——校

8. 讠——说　　亻——你　　女——好

9. 白——的　　宀——家　　辶——这

　　父——爸　　禾——和

10. 艹——花　　囗——园　　丷——前

　　人——个　　卜——外　　目——看

11. 大——太　　阝——阳　　十——南

12. 斤——新　　刂——到　　灬——热

　　门——闹　　穴——穿　　礻——祝

句子

Sentences

wǒ shì xiǎo xué shēng
7. 我是小学生。

wǒ qù xué xiào
8. 我去学校。

zhè shì wǒ de jiā
9. 这是我的家。

wǒ jiā yǒu ge xiǎo huā yuán
10. 我家有个小花园。

qián mian shì dōng hòu mian shì xī
11. 前面是东，后面是西。

xīn nián zhēn rè nao
12. 新年真热闹。

hàn zì bǐ huà míng chēng biǎo
汉字笔画名称表

Table of Chinese Characters' Strokes

bǐ huà 笔画	míng chēng 名 称	lì zì 例字	bǐ huà 笔画	míng chēng 名 称	lì zì 例字
、	diǎn 点	liù 六	㇆	héng piě wān gōu 横撇弯钩	nà 那
一	héng 横	yī 一	亅	shù gōu 竖钩	shuǐ 水
丨	shù 竖	shí 十	㇁	wān gōu 弯钩	jiā 家
丿	piě 撇	rén 人	㇗	shù tí 竖提	mín 民
㇏	nà 捺	dà 大	㇗	shù zhé 竖折	shān 山
㇀	tí 提	xí 习	㇄	shù wān 竖弯	xī 西
㇖	héng gōu 横钩	xiě 写	㇄	shù wān gōu 竖弯钩	diàn 电
㇇	héng zhé 横折	kǒu 口	㇗	shù zhé zhé 竖折折	dǐng 鼎
㇆	héng zhé gōu 横折钩	yuè 月	㇗	shù zhé zhé gōu 竖折折钩	niǎo 鸟
㇇	héng piě 横撇	yòu 又	㇂	xié gōu 斜钩	wǒ 我
㇆	héng zhé tí 横折提	rèn 认	㇃	wò gōu 卧钩	xīn 心
㇄	héng zhé wān gōu 横折弯钩	jiǔ 九	㇉	piě zhé 撇折	gěi 给
㇋	héng zhé zhé piě 横折折撇	jiàn 建	㇊	piě diǎn 撇点	nǚ 女
㇌	héng zhé zhé zhé gōu 横折折折钩	nǎi 奶			

写字笔顺规则表

xiě zì bǐ shùn guī zé biǎo

Table of Stroke Order

规则 *guī zé*	例字 *lì zì*	笔顺 *bǐ shùn*
先横后竖 *xiān héng hòu shù*	十 *shí*	一 十
	干 *gàn*	一 二 干
先撇后捺 *xiān piě hòu nà*	八 *bā*	ノ 八
	天 *tiān*	一 二 チ 天
从上到下 *cóng shàng dào xià*	三 *sān*	一 二 三
	早 *zǎo*	丶 口 日 日 旦 早
从左到右 *cóng zuǒ dào yòu*	地 *dì*	一 十 土 圤 圵 地
	说 *shuō*	丶 讠 讠 讱 讱 说 说 说 说
从外到内 *cóng wài dào nèi*	同 *tóng*	丨 冂 冂 同 同 同
	向 *xiàng*	ノ 亻 冂 向 向 向
从内到外 *cóng nèi dào wài*	山 *shān*	丨 山 山
	这 *zhè*	丶 二 宁 文 文 讠 这
先里头后封口 *xiān lǐ tou hòu fēng kǒu*	日 *rì*	丨 冂 冃 日
	园 *yuán*	丨 冂 冂 冃 冈 园 园
先中间后两边 *xiān zhōng jiān hòu liǎng biān*	小 *xiǎo*	亅 小 小
	水 *shuǐ*	亅 刀 水 水

由于汉字结构形式比较复杂，有的字很难按上面笔顺规则书写，只能按习惯笔顺。如，力(ㄱ力)、与(一ㄅ与)、女(ㄑㄅ女)、也(ㄱㄩ也)等。

中文 1   92

汉字偏旁名 称表

Names of Radicals of Chinese Characters

1.本表列举一部分常见汉字偏旁的名称，以便教学。

(This table lists some of the common radicals of Chinese characters for the convenience of teaching and learning.)

2.本表收录的汉字偏旁，大多是现在不能单独成字、不易称呼或者称呼很不一致的。能单独成字、易于称呼的，如山、马、日、月、石、鸟、虫等，不收录。

(Most of the radicals this table includes are not characters by themselves，or difficult to name，or have confusing names. The radicals that are Chinese characters by themselves and easily pronounced，such as 山 shān，马 mǎ，日 rì，月 yuè，石 shí，鸟 niǎo，虫 chóng，etc.，have not been listed here.)

3.有的偏旁有几种不同的叫法，本表只取较为通行的名称。

(Some radicals have different names，but this table only offers the most commonly used ones.)

偏　旁 Radical	名　　称 Name	例　字 Examples
厂	偏厂儿 (piānchǎngr)	厅、历、厚
匚	区字框儿 (qūzìkuàngr)； 三框儿 (sānkuàngr)	区、匠、匣
刂	立刀旁儿 (lìdāopángr)； 立刀儿 (lìdāor)	列、别、剑
冂 (冂)	同字框儿 (tóngzìkuàngr)	冈、网、周
亻	单人旁儿 (dānrénpángr)； 单立人儿 (dānlìrénr)	仁、位、你
勹	包字头儿 (bāozìtóur)	勺、勾、旬
亠	京字头儿 (jīngzìtóur)	六、交、亥
冫	两点水儿 (liǎngdiǎnshuǐr)	次、冷、准
宀	秃宝盖儿 (tūbǎogàir)	写、军、冠
讠	言字旁儿 (yánzìpángr)	计、论、识
阝	单耳旁儿 (dān'ěrpángr)； 单耳刀儿 (dān'ěrdāor)	卫、印、却

偏　旁 Radical	名　称 Name	例　字 Examples
阝	双耳旁儿（shuāng'ěrpángr）； 双耳刀儿（shuāng'ěrdāor） 　　左耳刀儿（zuǒ'ěrdāor）　（在左） 　　右耳刀儿（yòu'ěrdāor）　（在右）	防、阻、院 邦、那、郊
厶	私字儿（sīzìr）	允、去、矣
廴	建之旁儿（jiànzhīpángr）	廷、延、建
扌	提土旁儿（títǔpángr）	地、场、城
扌	提手旁儿（tíshǒupángr）	扛、担、摘
艹	草字头儿（cǎozìtóur）； 草头儿（cǎotóur）	艾、花、英
廾	弄字底儿（nòngzìdǐr）	开、弁、异
尢	尤字旁儿（yóuzìpángr）	尤、龙、尬
囗	国字框儿（guózìkuàngr）	因、国、图
彳	双人旁儿（shuāngrénpángr）； 双立人儿（shuānglìrénr）	行、征、徒
彡	三撇儿（sānpiěr）	形、参、须
犭	反犬旁儿（fǎnquǎnpángr）； 犬犹儿（quǎnyóur）	狂、独、狼
夂	折文儿（zhéwénr）	处、冬、夏
饣	食字旁儿（shízìpángr）	饮、饲、饰
丬（爿）	将字旁儿（jiàngzìpángr）	壮、状、妆
广	广字旁儿（guǎngzìpángr）	庄、店、席
氵	三点水儿（sāndiǎnshuǐr）	江、汪、活
忄	竖心旁儿（shùxīnpángr）； 竖心儿（shùxīnr）	怀、快、性
宀	宝盖儿（bǎogàir）	宇、定、宾
辶	走之儿（zǒuzhīr）	过、还、送
孑	子字旁儿（zǐzìpángr）	孔、孙、孩
纟	绞丝旁儿（jiǎosīpángr）； 乱绞丝儿（luànjiǎosīr）	红、约、纯
巛	三拐儿（sānguǎir）	甾、邕、巢

偏 旁 Radical	名 称 Name	例 字 Examples
王	王字旁儿（wángzìpángr）； 斜玉旁儿（xiéyùpángr）	玩、珍、班
木	木字旁儿（mùzìpángr）	朴、杜、栋
牜	牛字旁儿（niúzìpángr）	牡、物、牲
攵	反文旁儿（fǎnwénpángr）； 反文儿（fǎnwénr）	收、政、教
爫	爪字头儿（zhǎozìtóur）	妥、受、舀
火	火字旁儿（huǒzìpángr）	灯、灿、烛
灬	四点儿（sìdiǎnr）	杰、点、热
礻	示字旁儿（shìzìpángr）； 示补儿（shìbǔr）	礼、社、祖
夫	春字头儿（chūnzìtóur）	奉、奏、秦
罒	四字头儿（sìzìtóur）	罗、罢、罪
皿	皿字底儿（mǐnzìdǐr）； 皿墩儿（mǐndūnr）	盂、益、盔
钅	金字旁儿（jīnzìpángr）	钢、钦、铃
禾	禾木旁儿（hémùpángr）	和、秋、种
疒	病字旁儿（bìngzìpángr）； 病旁儿（bìngpángr）	症、疼、痕
衤	衣字旁儿（yīzìpángr）； 衣补儿（yībǔr）	初、袖、被
癶	登字头儿（dēngzìtóur）	癸、登、凳
覀	西字头儿（xīzìtóur）	要、贾、票
虍	虎字头儿（hǔzìtóur）	虏、虑、虚
竹	竹字头儿（zhúzìtóur）	笑、笔、笛
羊	羊字旁儿（yángzìpángr）	差、羚、羯
类	卷字头儿（juànzìtóur）	券、拳、眷
米	米字旁儿（mǐzìpángr）	粉、料、粮
足	足字旁儿（zúzìpángr）	跃、距、蹄
髟	髦字头儿（máozìtóur）	髦、髯、鬓

hàn yǔ pīn yīn fāng àn
汉语拼音方案

Phonetic System of the Chinese Language

（1957 年 11 月 1 日国务院全体会议第 60 次会议通过）

（Endorsed at the 60th meeting of the Plenary Session of the State Council on November 1st, 1957.）

（1958 年 2 月 11 日第一届全国人民代表大会第五次会议批准）

（Approved at the 5th Session of the 1st National People's Congress of February 11st, 1958.）

一、字母表
The Alphabet

字母 (Alphabet) 名称 (Name)	Aa ㄚ	Bb ㄅㄝ	Cc ㄘㄝ	Dd ㄉㄝ	Ee ㄜ	Ff ㄝㄈ	Gg ㄍㄝ
	Hh ㄏㄚ	Ii ㄧ	Jj ㄐㄧㄝ	Kk ㄎㄝ	Ll ㄝㄌ	Mm ㄝㄇ	Nn ㄋㄝ
	Oo ㄛ	Pp ㄆㄝ	Qq ㄑㄧㄡ	Rr ㄚㄦ	Ss ㄝㄙ	Tt ㄊㄝ	
	Uu ㄨ	Vv ㄪㄝ	Ww ㄨㄚ	Xx ㄒㄧ	Yy ㄧㄚ	Zz ㄗㄝ	

ｖ只用来拼写外来语、少数民族语言和方言。

The letter ｖ is only used in loan words, ethnic minority languages and dialects.

字母的手写体依照拉丁字母的一般书写习惯。

The letters are written in the same way as the Latin alphabets.

二、声母表
The Initials

b ㄅ玻	p ㄆ坡	m ㄇ摸	f ㄈ佛	d ㄉ得	t ㄊ特	n ㄋ讷	l ㄌ勒
g ㄍ哥	k ㄎ科	h ㄏ喝		j ㄐ基	q ㄑ欺	x ㄒ希	
zh ㄓ知	ch ㄔ蚩	sh ㄕ诗	r ㄖ日	z ㄗ资	c ㄘ雌	s ㄙ思	

在给汉字注音的时候，为了使拼式简短，zh ch sh 可以省作 ẑ ĉ ŝ。

When phonetic notations are given to Chinese characters, zh, ch and sh can be abbreviated as ẑ, ĉ and ŝ to simplify the spelling.

三、韵母表
The Finals

	i ㄧ 衣	u ㄨ 乌	ü ㄩ 迂
a ㄚ 啊	ia ㄧㄚ 呀	ua ㄨㄚ 蛙	
o ㄛ 喔		uo ㄨㄛ 窝	
e ㄜ 鹅	ie ㄧㄝ 耶		üe ㄩㄝ 约
ai ㄞ 哀		uai ㄨㄞ 歪	
ei ㄟ 欸		uei ㄨㄟ 威	
ao ㄠ 熬	iao ㄧㄠ 腰		
ou ㄡ 欧	iou ㄧㄡ 忧		
an ㄢ 安	ian ㄧㄢ 烟	uan ㄨㄢ 弯	üan ㄩㄢ 冤
en ㄣ 恩	in ㄧㄣ 因	uen ㄨㄣ 温	ün ㄩㄣ 晕
ang ㄤ 昂	iang ㄧㄤ 央	uang ㄨㄤ 汪	
eng ㄥ 亨的韵母	ing ㄧㄥ 英	ueng ㄨㄥ 翁	
ong (ㄨㄥ) 轰的韵母	iong ㄩㄥ 雍		

1. "知、蚩、诗、日、资、雌、思"等七个音节的韵母用 i，即知、蚩、诗、日、资、雌、思等字拼作 zhi，chi，shi，ri，zi，ci，si。

   The final i is used in the seven syllables of "知、蚩、诗、日、资、雌" and "思"，and thus they are spelled respectively as zhi，chi，shi，ri，zi，ci and si.

2. 韵母儿写成 er，用作韵尾的时候写成 r。例如："儿童"拼作 ertong，"花儿"拼作 huar。

   The final 儿 is written as er，but as r when used as a tail final，i.e."儿童" ertong and "花儿" huar.

3. 韵母ㄝ单用的时候写成 ê。

   The final ㄝ is written as ê when used independently.

4. i 行的韵母，前面没有声母的时候，写成 yi（衣），ya（呀），ye（耶），yao（腰），you（忧），yan（烟），yin（因），yang（央），ying（英），yong（雍）。

   The finals in the i row are written as yi（衣），ya（呀），ye（耶），yao（腰），you（忧），yan（烟），yin（因），yang（央），ying（英），yong（雍）if no initials precede them.

   u 行的韵母，前面没有声母的时候，写成 wu（乌），wa（蛙），wo（窝），wai（歪），wei

（威），wan （弯），wen（温），wang（汪），weng（翁）。

The finals in the u row are written as wu（乌），wa（蛙），wo （窝），wai（歪），wei（威），wan（弯），wen（温），wang（汪）and weng（翁）if no initials precede them.

ü 行的韵母，前面没有声母的时候，写成 yu（迂），yue（约），yuan（冤），yun （晕）；ü 上两点省略。

The finals in the ü row are written as yu（迂），yue（约），yuan（冤）and yun （晕）if no initials precede them，and the two dots of ü are omitted.

ü行的韵母跟声母 j，q，x 拼的时候，写成 ju（居），qu （区），xu（虚），ü 上两点也省略；但是跟声母 n，l 拼的时候，仍然写成nü（女），lü （吕）。

When the finals in the ü row are used together with the initials of j，q and x，they are written as ju（居），qu（区），xu（虚）with the two dots of ü being omitted；when they are used together with the initials of n and l，the two dots of ü are retained as in nü （女）and lü（吕）.

5. iou，uei，uen 前面加声母的时候，写成 iu，ui，un。例如：niu（牛），gui （归），lun （论）。
   When iou，uei and uen are preceded by initials，they are written as iu，ui and un，such as in niu（牛），gui（归）and lun（论）.

6. 在给汉字注音的时候，为了使拼式简短，ng 可以省作 ŋ。
    When phonetic notations are added to Chinese characters，ng may be abbreviated as ŋ to simplify the spelling.

四、声调符号
The Symbols of Tones

阴平	阳平	上声	去声
high and level tone	rising tone	falling-rising tone	falling tone
-	´	ˇ	`

声调符号标在音节的主要母音上，轻声不标。例如：

The symbol of each tone is marked on the main vowel of a syllable，but it is omitted when the pronunciation is light. For example：

妈 mā	麻 má	马 mǎ	骂 mà	吗 ma
（阴平）	（阳平）	（上声）	（去声）	（轻声）
high and level tone	rising tone	falling-rising tone	falling tone	light pronunciation

五、隔音符号
The Syllable-dividing Mark

a，o，e 开头的音节连接在其他音节后面的时候，如果音节的界限发生混淆，用隔音符号（'）隔开，例如：pi'ao（皮袄）。

When a syllable beginning with a，o，e follows another syllable，and the boundary of the two syllables are confusing，the syllable-dividing mark（'）is used to separate them，i.e. pi'ao（皮袄）.

图书在版编目（CIP）数据

中文·第一册 / 中国暨南大学华文学院编 .—修订版.— 广州：暨南大学出版社，2007.7

ISBN 978－7－81029－635－9

Ⅰ. 中…

Ⅱ. 中…

Ⅲ. 对外汉语教学

Ⅳ. H195

监　　制：中华人民共和国国务院侨务办公室
（中国·北京）

监制人：刘泽彭

电话 / 传真：0086－10－68320122

编写：中国暨南大学华文学院
（中国·广州）

电话 / 传真：0086－20－87206866

出版 / 发行：暨南大学出版社
（中国·广州）

电话 / 传真：0086－20－85221583

印制：北京华联印刷有限公司

1997 年 6 月第 1 版　2007 年 7 月第 2 版　2010 年 2 月第 13 次印刷

787mm × 1092mm　　1/16　　6.75 印张